Timi Para Consolidar

Caderno de Exercícios

Isabel Borges
Martina Tirone
Teresa Gôja

Ilustrações: Liliana Lourenço

Lidel — Edições Técnicas, Lda.

EDIÇÃO E DISTRIBUIÇÃO
Lidel – Edições Técnicas, Lda
Rua D. Estefânia, 183, r/c Dto – 1049-057 Lisboa
Tel: +351 213 511 448
lidel@lidel.pt
Projetos de edição: editec@lidel.pt
www.lidel.pt

LIVRARIA
Av. Praia da Vitória, 14 A – 1000-247 Lisboa
Tel: +351 213 511 448 * Fax: +351 213 173 259
livraria@lidel.pt

ISBN edição impressa: 978-989-752-075-4
1ª edição impressa: julho 2015
Reimpressão de novembro 2016

Conceção de *layout* e paginação: Elisabete Nunes
Impressão e acabamento: Cafilesa - Soluções Gráficas, Lda. - Venda do Pinheiro
Depósito Legal: 395988/15

Capa: Elisabete Nunes
Ilustrações: Liliana Lourenço

Índice

1 Escreve palavras e pinta.

A	amigos

N	
O	
S	
S	
A	

E	
S	
C	
O	
L	
A	

É	

L	
I	
N	
D	
A	

2 Escreve frases.

Eu chamo-me
Tu chamas-te
Ele/Ela chama-se

Ex.: Tu chamas-te Ben.

______________________________.

______________________________.

______________________________.

______________________________.

Eu gosto de
Tu gostas de
Ele/Ela gosta de

______________________________.

______________________________.

______________________________.

______________________________.

3 Escreve rimas.

Há no ar um balão
Que tem pintado um ______________
O gato salta ______________
no recreio da escola.

Na horta há um caracol
____
No jardim há uma flor
____

4 Entrevista um amigo.

Como te chamas?

____ .

Quantos anos tens?

____ .

O que tens dentro da tua mochila?

____ .

O que gostas de fazer depois da escola?

____

____ .

5 Escreve frases.

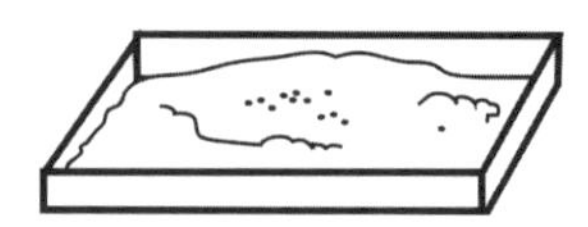

Eu tenho
Tu tens
Ele/Ela tem

Ex.: Ela tem uma bola.

____ .

____ .

____ .

____ .

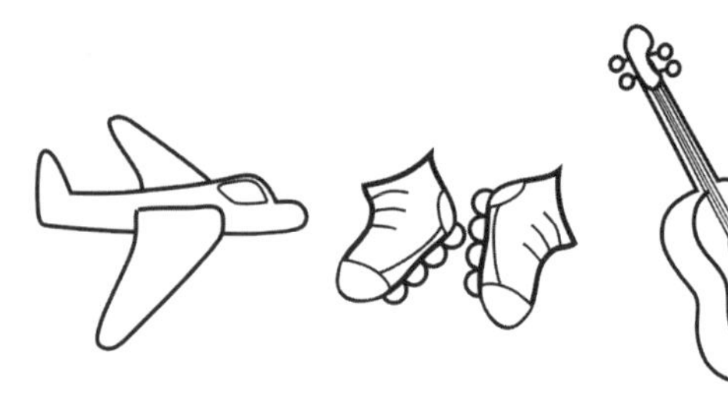

Eu quero
Tu queres
Ele/Ela quer

____ .

____ .

____ .

____ .

6 Escreve palavras e descobre a frase.

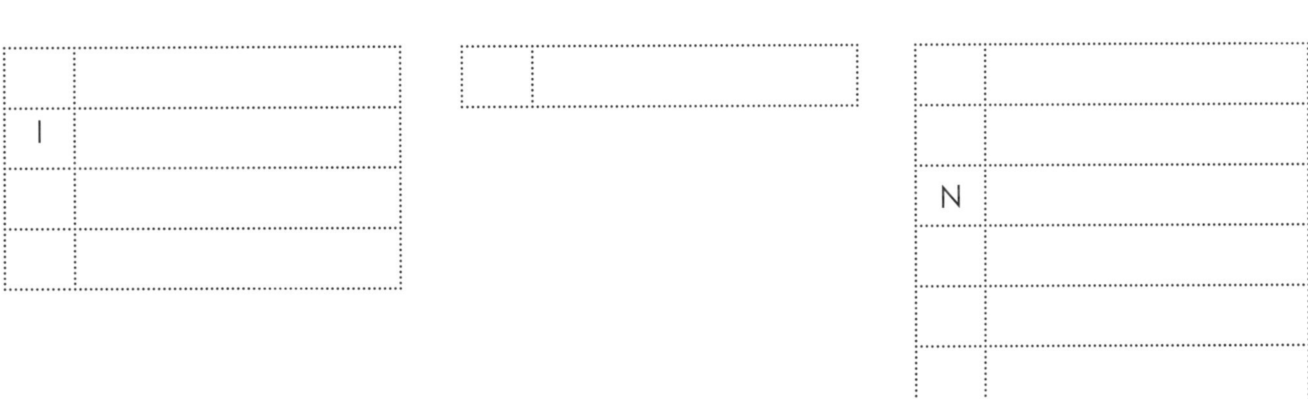

__ .

7 Escreve.

Ex.: 5  **Cinco árvores.**

7 ____.

10 ____.

2 ____.

1 ____.

4 ____.

6 ____.

3 ____.

9 ____.

8 ____.

8 Escreve e pinta.

A minha escola

pequeno
grande

sala de aula

brincar

jardim

melhor amigo/a

recreio

disciplinas

professor/a

1 Escreve e faz frases.

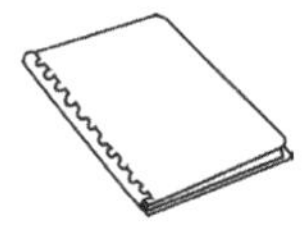   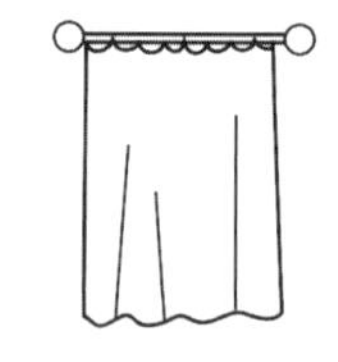

  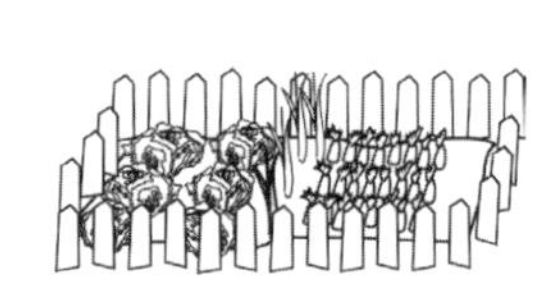 

 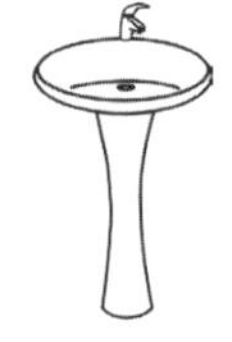  

Ex.: A avó tem uma horta no jardim.

2 Pinta e escreve.

3 Lê e responde.

A casa do fantasma

A garagem tem duas bicicletas ou três guitarras? ________________________.

A casa tem dois ou cinco quartos? ________________________.

A sala tem uma mesa ou uma cama? ________________________.

A casa de banho tem duas ou três sanitas? ________________________.

A cozinha tem uma televisão ou um espelho? ________________________.

O quarto tem uma caixa de areia ou um frigorífico? ________________________.

O jardim tem sofás ou secretárias? ________________________.

Agora pinta a casa.

4 Escreve frases.

Eu ajudo
Tu ajudas
Ele/Ela ajuda

____.
____.
____.
____.

Eu limpo
Tu limpas
Ele/Ela limpa

____.
____.
____.
____.

Eu adoro
Tu adoras
Ele/Ela adora

____.
____.
____.
____.

Eu estou
Tu estás
Ele/Ela está

____.
____.
____.
____.

5 Escreve.

De quem é...

meu / minha

Ex.: ... a bola? É minha.

... o microfone? ______________________ .

... a mochila? ______________________ .

... a corda? ______________________ .

... o baloiço? ______________________ .

... o quarto? ______________________ .

De quem são...

meus / minhas

Ex.: ... os copos? São meus.

... os patins? ______________________ .

... as flores? ______________________ .

... os ursos de peluche? ______________________ .

... as almofadas? ______________________ .

... os quadros? ______________________ .

6 Escreve.

um / uma
dois / duas

Ex.: **um caranguejo** **dois caranguejos**

______________ ______________ ______________ ______________

______________ ______________ ______________ ______________

______________ ______________ ______________ ______________

7 Escreve e pinta.

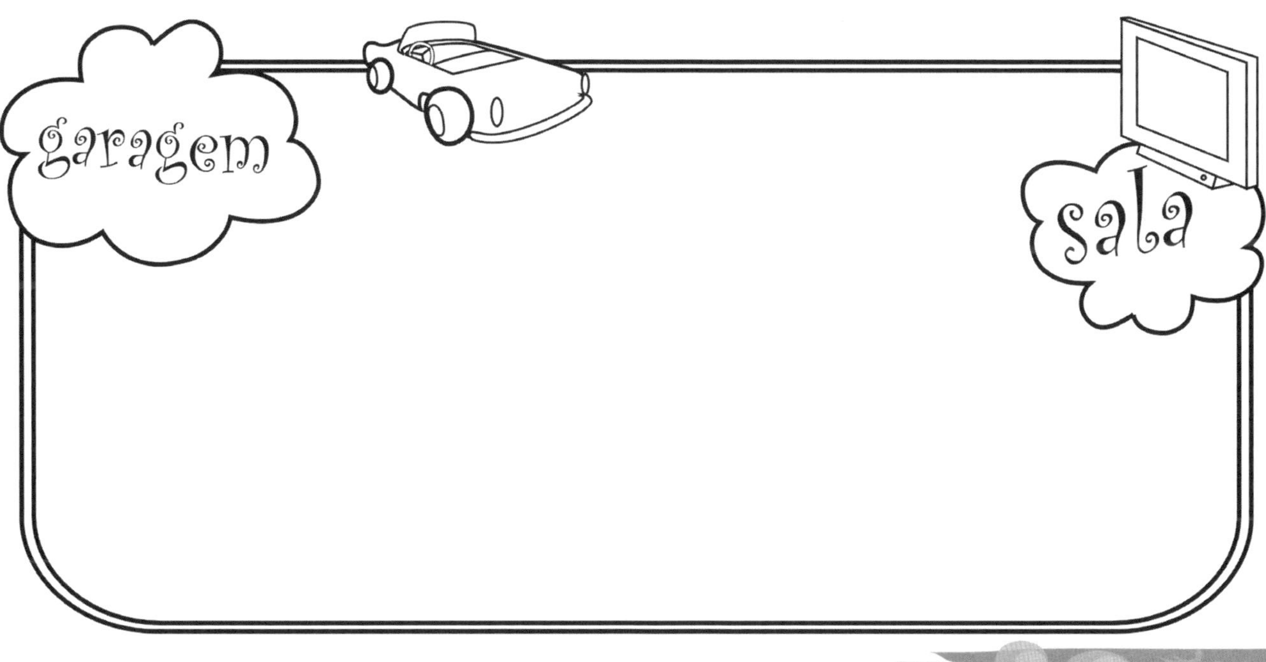

1 Procura e completa o ABC.

almofada

2 Escreve e pinta.

O que desejas?

Para o pequeno-almoço gostava de comer ______________________________

____ e

beber ____ .

Para o almoço ____

____

____ .

Para o lanche ____

____

____ .

Para o jantar ____

____

____ .

3 Escreve.

De quem é...

meu / minha

Ex.: ... a laranja? É minha.

... o morango? ____________________.

... o pepino? ____________________.

... a cenoura? ____________________.

... a saca? ____________________.

... o pudim? ____________________.

De quem são...

meus / minhas

Ex.: ... as batatas ? São minhas.

... as uvas? ____________________.

... as flores? ____________________.

... os ovos? ____________________.

... as peras? ____________________.

... os cereais? ____________________.

4 Escreve frases.

Eu bebo
Tu bebes
Ele/Ela bebe

Leite

____.

____.

____.

____.

Eu como
Tu comes
Ele/Ela come

____.

____.

____.

____.

5 Escreve as palavras e descobre a frase.

1	A			2					3							4	

8						7					6					5	

					9					10							11

	14						13								12		

		15				16					

1

2

3

4

5

6

7

8

9

10

11

12

13

14

15

16

A _ _ _ _ _ _ _ _ _ _ _ _ _ _ _ _ _ _.

6 Escreve.

O que é?

Ex.: Uma torneira é ____

____.

____

____.

____

____.

____

____.

7 Lê e adivinha.

Sou redonda como uma bola, verde por fora e vermelha por dentro. Todos gostam de mim quando está calor. Sou a ____________________.

Sou verde e tenho muitas folhas. Cresço na horta e a Timi adora comer-me. Sou a ____________________.

Sou amarelo, amargo, mas todos adoram beber o meu sumo com água e açúcar. Sou o ____________________.

8 Escreve e pinta.

1 Escreve.

um / dois
uma / duas

Ex.: um mapa	dois mapas
______________	______________
______________	______________
______________	______________
______________	______________
______________	______________
______________	______________
______________	______________
______________	______________
______________	______________
______________	______________
______________	______________

2 Lê e liga.

Qual é a disciplina?

O elefante pinta uma casa. •	• Matemática
O caracol conta até dez. •	• Português
A Carmen canta muito bem. •	• História
O Ben escreve no computador. •	• Inglês
A professora conta a história do nosso país. •	• Música
O Lucas aprende a palavra "*yes*". •	• Artes Plásticas
A Timi lê um livro. •	• Informática
O Pedro corre muito. •	• Estudo do Meio
O macaco aponta para o mapa. •	• Desporto

3 Escreve e pinta.

Qual é a tua disciplina favorita? Porquê?

____

____

____.

4 Faz a conta e escreve.

11	+	nove	=	20	20	-	______	=	18
16	+	______	=	19	19	-	______	=	9
12	+	______	=	17	19	-	______	=	12
14	+	______	=	18	17	-	______	=	11
15	+	______	=	16	16	-	______	=	8

5 Escreve.

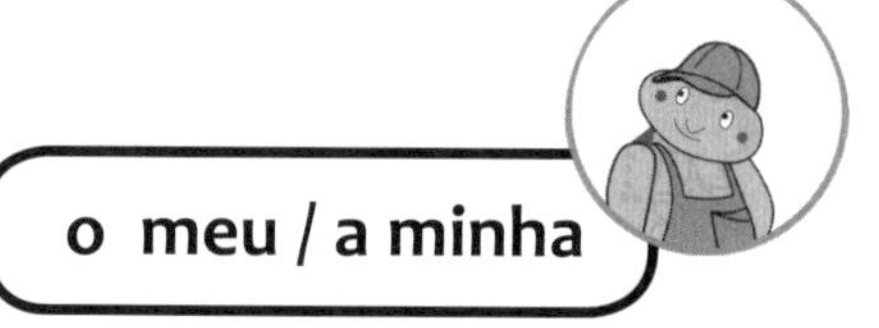

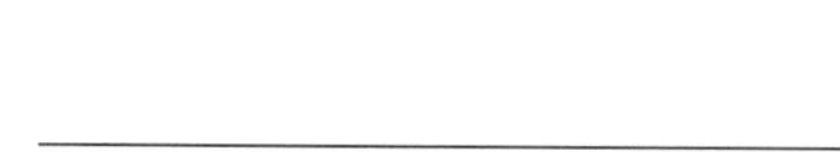

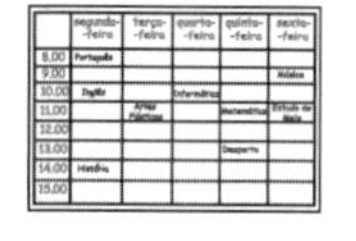

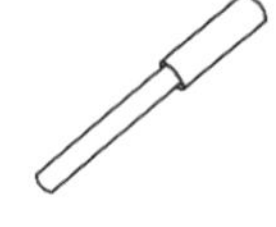

6 Escreve.

O que podemos fazer na escola?

7 Escreve.

O que tens dentro da mochila?

O que tens dentro do estojo?

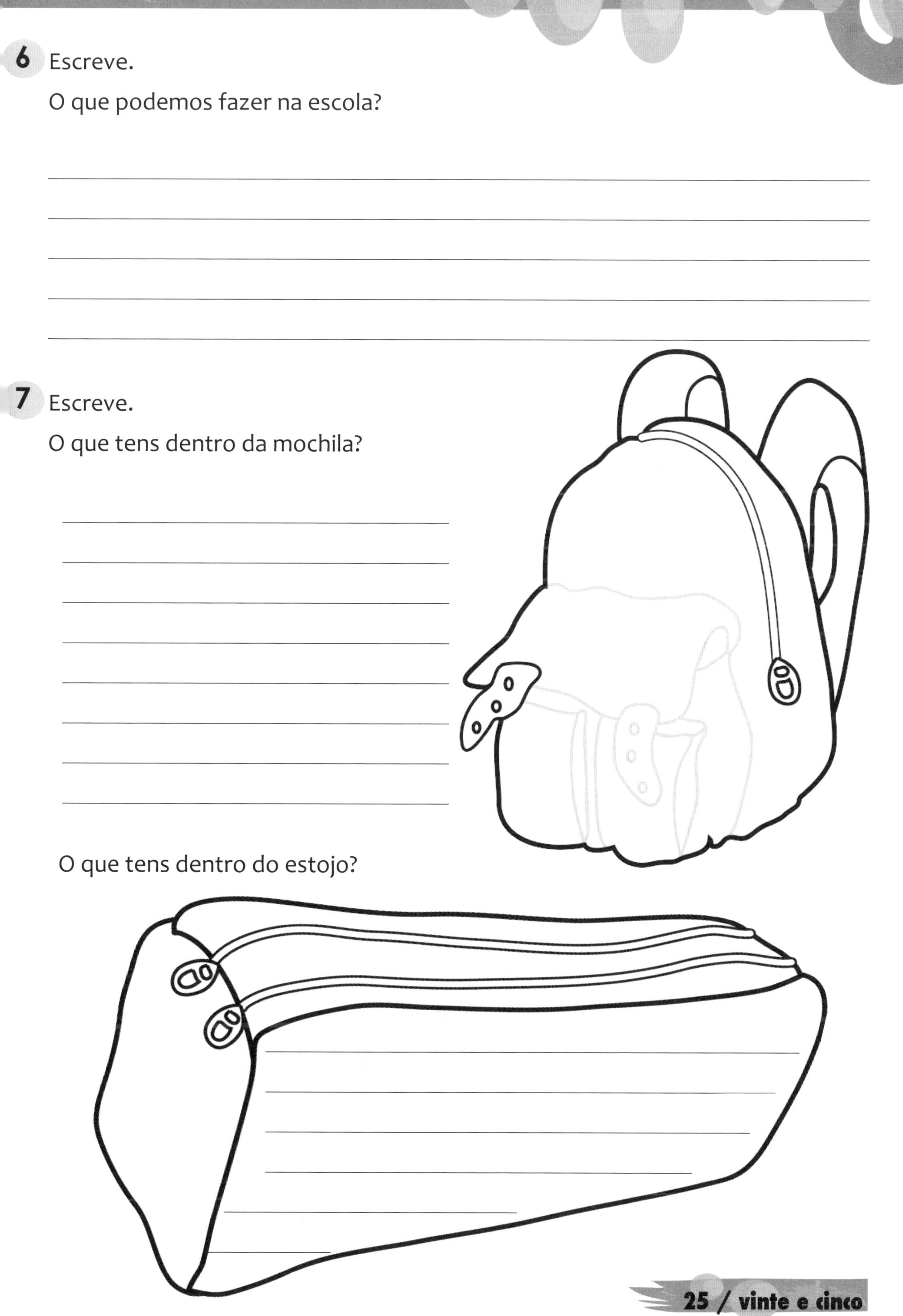

8 Completa.

10 9 8 5 2 6 3 1 7 4

1 5 6 9 10 8 2 3 7 4

9 Completa.

Na minha escola . . .

A sala é ________________ e tem ________________ janelas.

O chão é castanho? ________________ .

Na minha sala de aula há ________________ cadeiras e ________________ mesas.

Nas paredes há ____ .

O/A meu/minha professor/a chama-se ________________________________ .

Na minha turma há ________________ meninas e ________________ meninos.

O meu melhor amigo chama-se ________________________________ .

A minha melhor amiga chama-se ________________________________ .

No recreio gosto de ____

____ .

0 Escreve e pinta.

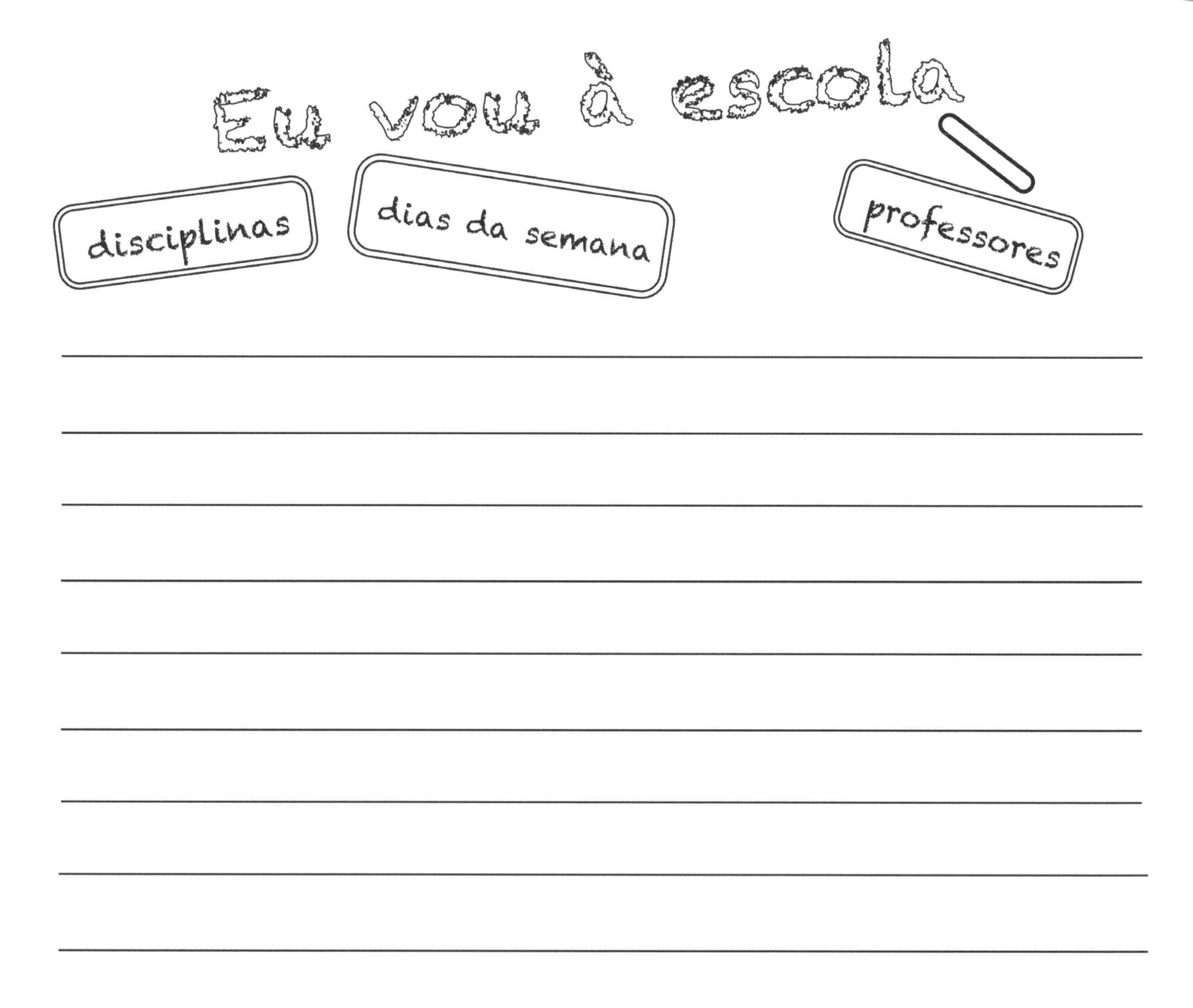

1 Observa a imagem inicial da unidade e responde.

Quantos instrumentos tem a banda?

____.

Quem está a andar de monociclo?

____.

O que come a Celeste?

____.

Quem está a gritar?

____.

Onde é que a menina compra os bilhetes?

____.

Quem usa um laço?

____.

2 Pinta e escreve.

Ex.: Um laço vermelho.

____.

____.

____.

____.

____.

____.

3 Entrevista um amigo.

Gostas de ir ao circo?

____.

Do que gostas mais no circo?

____.

Tocas algum instrumento musical? Qual?

____.

Preferes pipocas ou algodão-doce?

____.

Tens medo do comboio-fantasma?

____.

4 Lê e assinala.

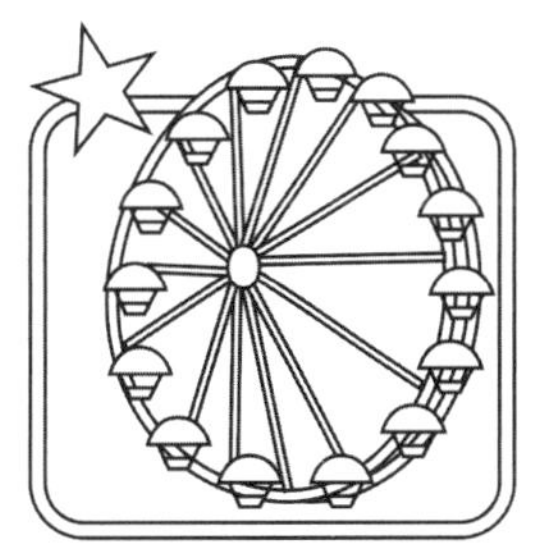

	V	F
O Pedro está a jogar ao pião.	◯	◯
O músico está a tocar trompete.	◯	◯
A Timi está a andar de balão.	◯	◯
O comboio está a sair da tenda.	◯	◯
A Celeste está a comer um cachorro.	◯	◯
A roda gigante anda devagar.	◯	◯

5 Completa.

O que é que tu estás a fazer?

Eu estou a ______________________________ .

Tu estás a ______________________________ .

Ela está a ______________________________ .

Nós estamos a ______________________________ .

Vocês estão a ______________________________ .

Eles estão a ______________________________ .

6 Escreve frases.

bonito/feio		pequeno/grande
barato/caro	fácil/difícil	claro/escuro

____ .

____ .

____ .

____ .

____ .

____ .

____ .

____ .

____ .

____ .

7 Lê e liga.

→ bailarina → torneira → saco → corda →
lavatório → caveira → arco → cadeira →
estrela → dado → botão → régua →
bateria → garfo → sofá → vassoura →
taça → queijo → peixe → prato →
caracol → alho → bailarina

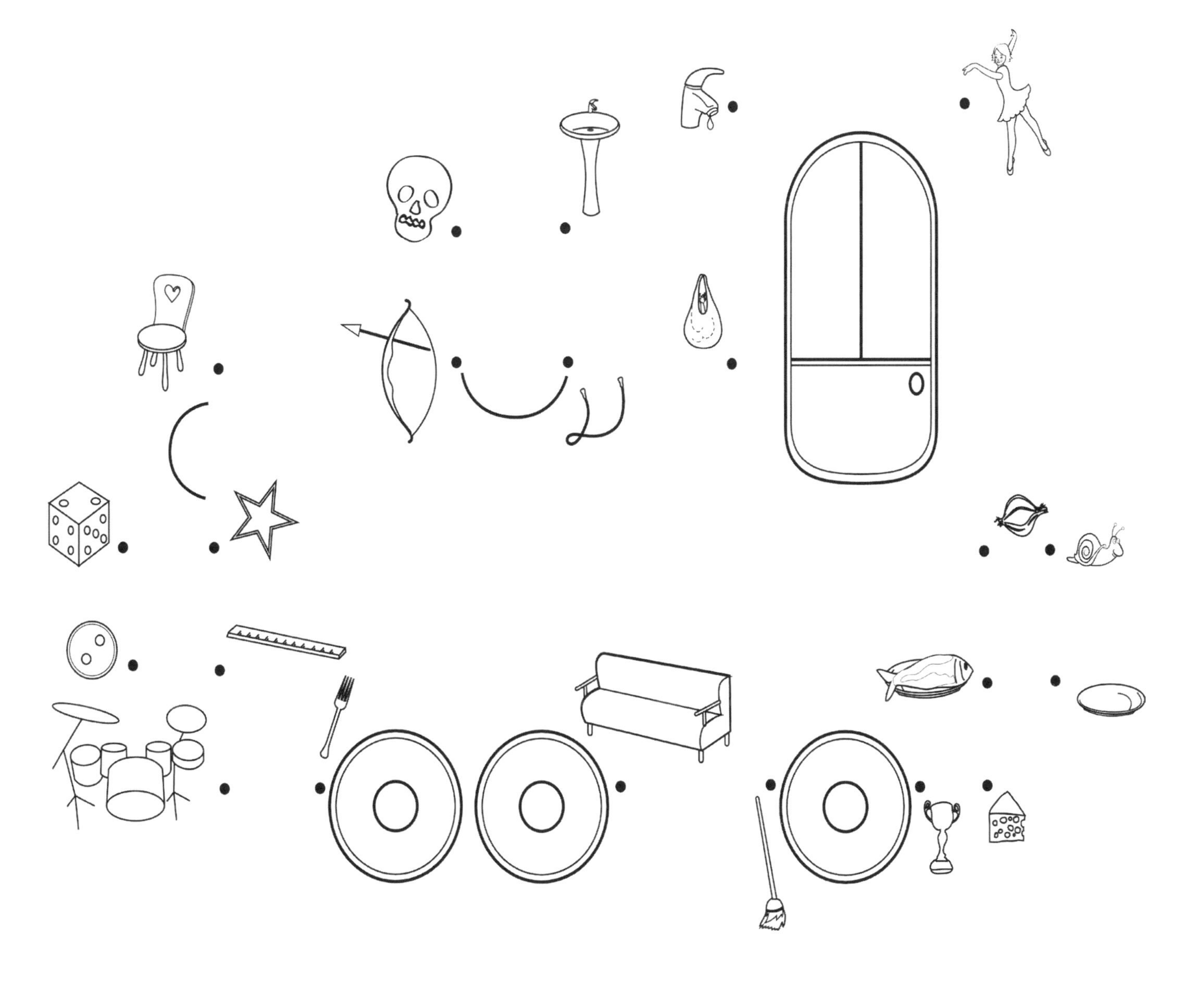

8 Escreve frases.

Eu ajudo ______

Eu bebo ______

Eu estou a ______

Eu vou ______

Eu como ______.

Eu limpo ______.

Eu gosto de ______.

Eu adoro ______.

Eu chamo-me ______.

Eu tenho ______.

Eu sou ______.

Eu quero ______.

9 Escreve e pinta.

1 Observa a imagem inicial da unidade e responde.

De que cor são os calções?

____ .

Quanto custa o casaco?

____ .

Que horas são no relógio da torre?

____ .

De que cor é o chapéu de chuva?

____ .

O que se vende ao lado do supermercado?

____ .

Onde está a bola de futebol?

____ .

2 Escreve as frases no plural.

O lápis está partido.

____ .

A camisola é nova.

____ .

O casaco tem um laço.

____ .

Eu sou o irmão do Paulo.

Nós ______________________________________ .

Eu estou na loja.

Nós ______________________________________ .

Eu tenho um casaco amarelo.

Nós ______________________________________ .

3 Pinta e escreve.

O que veste e calça a Timi?

____.

____.

____.

____.

____.

4 Completa.

Cinquenta, sessenta, _______________, _______________, noventa.

Cem, _______________, oitenta, setenta, _______________, cinquenta.

Dez, _______________, trinta, _______________,

_______________, sessenta.

Cinquenta, quarenta, _______________, vinte, _______________.

5 Pinta e escreve.

Ex.: Umas calças azuis.

______________________________.

______________________________.

______________________________.

______________________________.

______________________________.

______________________________.

______________________________.

Nota: azul – azuis

6 Completa.

No supermercado há muitos artigos à venda.

seco/molhado
partido
novo/velho
barato/caro

Na padaria há bolos muito ______________ .

Gosto muito de comprar roupa ______________ .

Na peixaria o chão está sempre ______________ .

Às vezes cai um copo no chão e fica ______________ .

Quando os cereais são ______________ já não se podem vender.

O pão ao sol fica logo ______________ .

Ui! As nozes são muito ______________ .

7 Entrevista um amigo.

Onde tu moras chove muito ou pouco?

____.

O que gostas de fazer quando está sol?

____.

O que gostas de fazer quando está a chover?

____.

O que usas na rua quando está a chover?

____.

Como fica o teu cabelo quando apanhas chuva?

____.

8 Procura dez números.

A	D	E	Z	G	P	L	F	R	E	V	I	A	M	U
L	P	Ç	T	H	G	L	S	R	A	S	E	C	V	O
M	Ç	P	Q	U	A	R	E	N	T	A	E	S	D	I
A	Q	E	V	R	B	I	S	O	L	P	M	E	A	T
V	R	F	C	H	J	L	S	I	L	O	P	Ç	A	E
C	E	S	E	B	T	S	E	T	E	N	T	A	N	N
N	D	C	M	R	G	B	N	U	J	M	O	L	P	T
O	E	S	D	R	F	T	T	Q	A	S	C	V	T	A
V	S	A	X	Z	C	N	A	M	I	O	V	L	P	Ç
E	Q	D	E	R	G	B	B	U	I	H	I	J	I	O
N	H	N	J	I	E	D	S	R	G	F	N	C	E	Q
T	R	I	N	T	A	C	G	T	J	B	T	E	D	S
A	X	A	E	F	U	I	O	L	P	N	E	T	R	F
S	E	D	F	R	U	N	J	O	M	L	O	A	E	S
C	F	R	C	I	N	Q	U	E	N	T	A	S	E	F

9 Escreve.

Pronto-a-vestir	Loja de desporto	Supermercado
______	______	______
______	______	______
______	______	______
______	______	______

Papelaria	Loja de animais	Sapataria
______	______	______
______	______	______
______	______	______
______	______	______

Mercearia	Frutaria	Loja de brinquedos
______	______	______
______	______	______
______	______	______
______	______	______

figo	patins	estojo	gabardina
urso de peluche	ténis	bolo	tartaruga
bola	salsichas	avião	corda
pão	luvas	papel	sandálias
melancia	arroz	aquário	bicicleta
biquíni	caderno	dado	galochas
bolachas	pijama	lápis	comboio
pantufas	iogurte	areia	cereja
ovos	pêssego	gato	leite

10 Escreve e pinta.

1 Observa a imagem inicial da unidade e responde.

De que cor é a coroa da princesa?

______________________________.

O cortinado está aberto ou fechado?

______________________________.

O que tem a Timi ao pescoço?

______________________________.

Quantas pessoas estão no palco?

______________________________.

Onde estão os óculos vermelhos?

______________________________.

O que tem o maestro na mão?

______________________________.

2 Completa.

	querer	cantar	comer	abrir
Nós				
Vocês				
Eles				
Elas				

3 Completa.

Ex.: Eles estão a virar-se.

Nós ____.

Ela ____.

Tu ____.

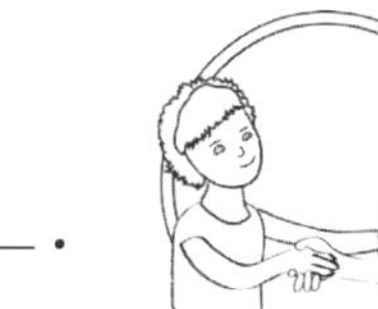

Eles ____.

Eu ____.

Vocês____.

Ele ____.

Ela ____.

4 Completa.

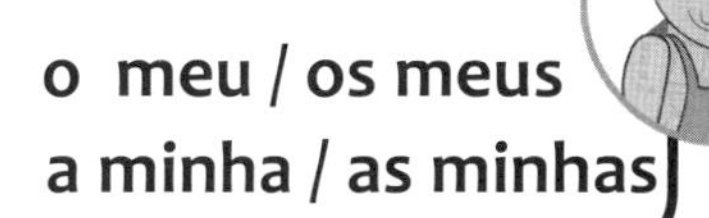

____________________	joelho	____________________	perna
____________________	umbigo	____________________	dedos
____________________	barriga	____________________	olhos
____________________	unhas	____________________	cabelos
____________________	ombro	____________________	pestanas
____________________	cabeça	____________________	bigode
____________________	orelhas	____________________	costas

5 Completa o diálogo.

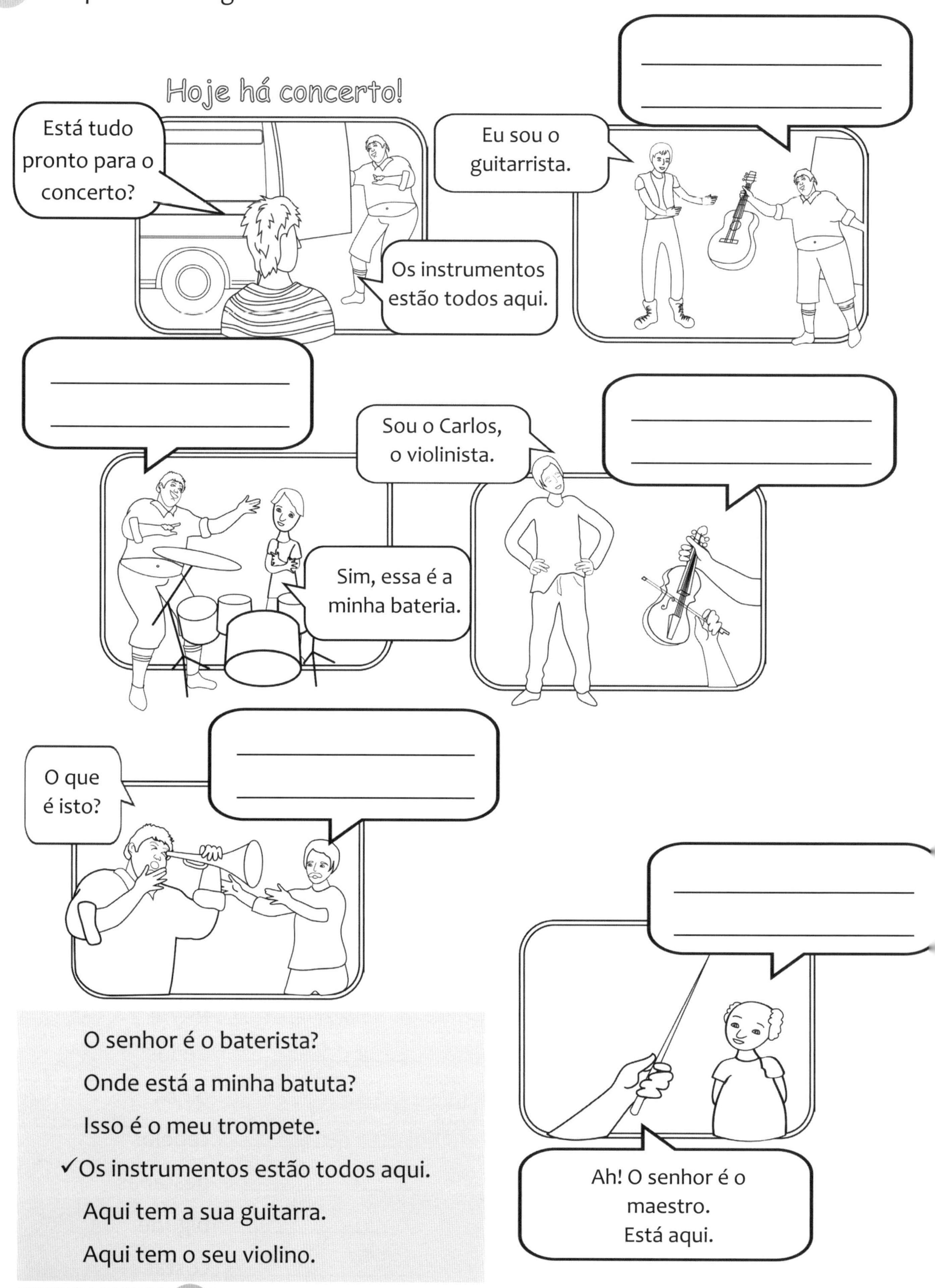

O senhor é o baterista?

Onde está a minha batuta?

Isso é o meu trompete.

✓Os instrumentos estão todos aqui.

Aqui tem a sua guitarra.

Aqui tem o seu violino.

6 Joga com um dado e escreve.

7 Completa.

Elas ________________ no jardim.

Nós ________________ fazer um teatro.

Eu ________________ uma banana.

O cão ________________ a cauda.

Vocês ________________ a janela.

Eles ________________ jogar futebol.

Tu ________________ pudim.

Ela ________________ os joelhos.

O pai ________________ sumo de limão.

Eu ________________ com o microfone.

Vocês ________________ salada de fruta.

Nós ________________ o cortinado.

Os alunos ________________ água depois do jogo.

A Timi ________________ dormir.

Tu ________________ os braços.

cantar
dobrar
abanar
comer
abrir
querer
beber

8 Escreve perguntas.

____?

O lápis é meu.

____?

As sandálias estão debaixo da mesa.

____?

A gravata é preta.

9 Escreve e pinta.

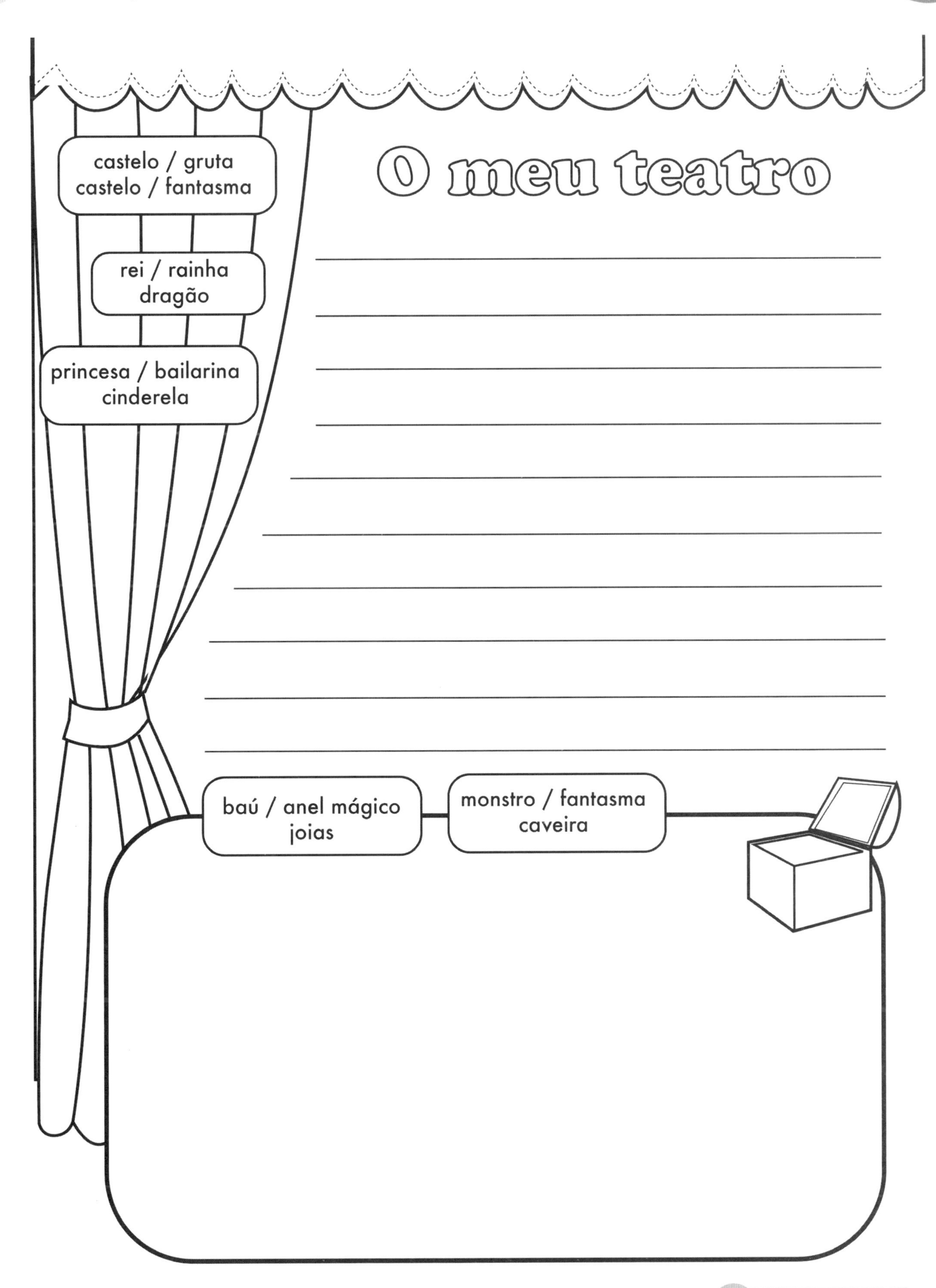

1 Observa a imagem inicial da unidade e responde.

O que está o pintor a fazer?

____.

Quem está a cortar a relva?

____.

Onde está o autocarro?

____.

O que se vende no quiosque?

____.

Onde está o baloiço?

____.

Quem está a andar de triciclo?

____.

2 Completa.

Ex.: Nós vamos almoçar no restaurante.

Eles ______________ ______________________ bolachas ao ______________.

Vocês ______________ ______________________ um livro.

Nós ______________ ______________________ os dentes na ______________.

Os meninos ______________ ______________ o cabelo no ______________.

Vocês ______________ ______________ piano na ______________.

Nós ______________ ______________ os pijamas.

As princesas ______________ ______________ no castelo.

Vocês ______________ ______________ bolos na festa.

Nós ______________ ______________ os acrobatas no ______________.

brincar
comprar
comer
vestir
ver
escrever
almoçar
lavar
cortar
tocar

3 Completa.

Há fogo! Onde estão os ____________________?

O ____________________ está verde: podes andar.

Este menino está doente: tem que ir ao ____________________.

O automóvel está avariado. Onde está o ____________________?

O jardim tem a relva muito grande. Depois do almoço vem o ____________________.

Deves atravessar a rua na ____________________.

O ____________________ pinta as paredes.

4 Escolhe a resposta certa e escreve.

1. A fonte tem **água**.
2. A menina estala os ______________.
3. O Ben abre a ______________.
4. O comboio sai do ______________.
5. O peixe está no ______________.
6. O macaco escreve com o ______________.
7. A Teresa bebe um ______________.
8. O avô rega as ______________.

1	B leite	C papel	**D água**
2	D pés	E dedos	F dentes
3	M prato	N porta	O cadeira
4	T túnel	U céu	V tronco
5	G armário	H chapéu	I aquário
6	S lápis	T papel	U afia
7	R frango	S feijão	T sumo
8	A flores	B camas	C netas

1	2	3	4	5	6	7	8
D							

5 Completa.

O Pedro está na

____

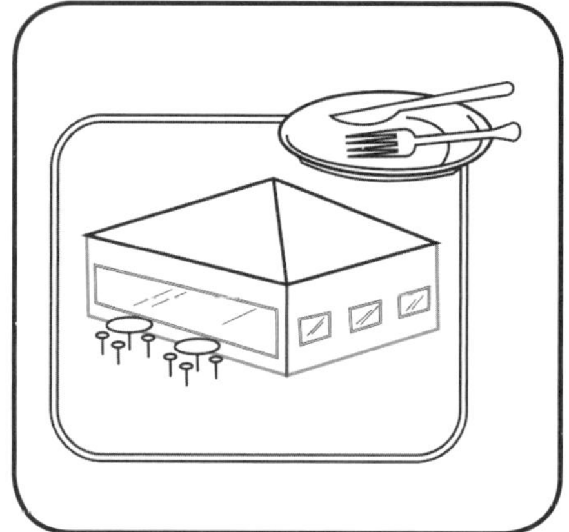

A Teresa está no

____

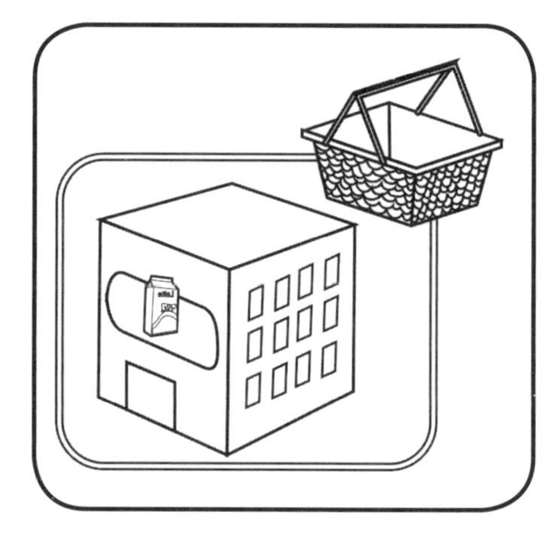

O avô e a avó estão no

____

A Miriam está no

____

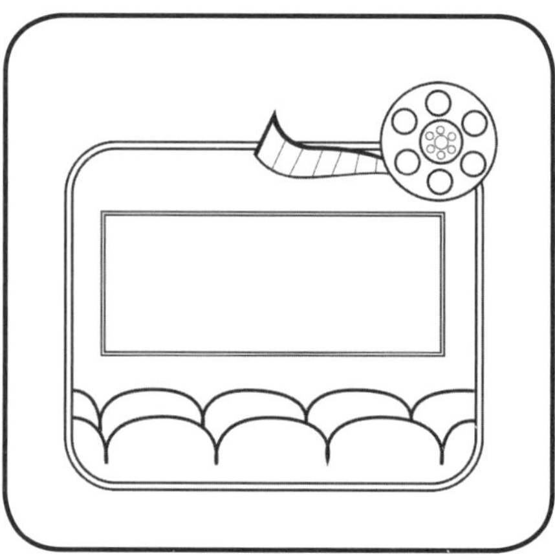

Os meninos estão no

____

O Ben está na

____

A Xana está no

____

A Celeste e o Nedal estão

na __________________

O Lucas está na

____

____

6 Lê e liga.

1.	autocarro	A.	mecânico
2.	hospital	B.	carteiro
3.	carta	C.	médico
4.	violino	D.	músico
5.	batuta	E.	vendedor
6.	poste de iluminação	F.	eletricista
7.	balança	G.	motorista
8.	automóvel	H.	professor
9.	jardim	I.	bombeiro
10.	doente	J.	jardineiro
11.	fogo	K.	enfermeiro
12.	escrever	L.	maestro

7 Pinta e escreve.

8 Descobre as frases, escreve e pinta.

para a escola | Eu vou | de bicicleta.

Eu vou para a escola de bicicleta.

na padaria. | pão | Os meninos compram

____.

comemos | num restaurante. | Aos domingos

____.

do Nedal | A casa | do parque. | é ao lado

____.

em frente | Há uma fonte | ao quiosque.

____.

9 Escreve e pinta.

1 Observa a imagem inicial da unidade e responde.

Onde está o crocodilo?

____ .

Quem está em cima da zebra?

____ .

De que cor é a borboleta?

____ .

Quantas formigas há no chão?

____ .

Quem está a lavar os dentes ao crocodilo?

____ .

O que está a fazer o urso?

____ .

Onde está o burro?

____ .

Quem está a nadar?

____ .

2 Escreve as frases no plural.

A formiga é muito pequena.

____ .

A asa do pássaro é amarela.

____ .

O porco está sempre sujo.

____ .

A barbatana do golfinho é grande.

____ .

O cavalo galopa no campo.

____ .

O papagaio imita o professor.

____ .

3 Pinta e escreve.

Qual é o teu animal preferido?

4 Escreve.

• Nós • As raposas • Vocês • Eu e o meu amigo • Os ursos	ir	• nadar no lago. • ver os animais da floresta. • correr atrás das galinhas. • a pé até ao vulcão. • comer o mel das abelhas.

5 Escreve.

6 Lê e completa.

A. Tem penas coloridas e sabe falar.

B. São muito pequenas e gostam de açúcar.

C. Rasteja, tem escamas e quatro patas.

D. Trepa muito bem e abre as nozes com os dentes.

E. Dá leite, mas não bebe leite.

F. Tem penas e põe ovos.

G. Tem um pescoço muito comprido.

H. Corre e salta muito bem.

I. É muito grande e já só vive nas histórias.

7 Escreve e pinta.

1 Pinta e escreve.

2 Pinta e escreve.

PRESENTE DO INDICATIVO

	fal**ar**	com**er**	part**ir**
Eu	fal**o**	com**o**	part**o**
Tu	fal**as**	com**es**	part**es**
Ele/Ela	fal**a**	com**e**	part**e**
Nós	fal**amos**	com**emos**	part**imos**
Vocês	fal**am**	com**em**	part**em**
Eles/Elas	fal**am**	com**em**	part**em**

	ser	**estar**	**ter**	**ir**	**dar**	**dizer**	**poder**
Eu	sou	estou	tenho	vou	dou	digo	posso
Tu	és	estás	tens	vais	dás	dizes	podes
Ele/Ela	é	está	tem	vai	dá	diz	pode
Nós	somos	estamos	temos	vamos	damos	dizemos	podemos
Vocês	são	estão	têm	vão	dão	dizem	podem
Eles/Elas	são	estão	têm	vão	dão	dizem	podem

	querer	**saber**	**trazer**	**ver**	**vir**	**pôr**	**fazer**
Eu	quero	sei	trago	vejo	venho	ponho	faço
Tu	queres	sabes	trazes	vês	vens	pões	fazes
Ele/Ela	quer	sabe	traz	vê	vem	põe	faz
Nós	queremos	sabemos	trazemos	vemos	vimos	pomos	fazemos
Vocês	querem	sabem	trazem	veem	vêm	põem	fazem
Eles/Elas	querem	sabem	trazem	veem	vêm	põem	fazem